AXEL HÜTTE   TERRA INCOGNITA

AXEL HÜTTE

Mit Texten von Julio Llamazares und Rosa Olivares   Text by Julio Llamazares and Rosa Olivares

TERRA

Schirmer/Mosel

INCOGNITA

Kuratorin: Rosa Olivares

Koordination: Mónica Carballas

Design und Typographie: Walter Nikkels
Assistenz: Neil Holt

Übersetzungen aus dem Spanischen
ins Deutsche: Barbara Reitz
ins Englische: Polisemia S.L.

Lithos: NovaConcept, Berlin
Druck und Bindung: EBS, Verona

ISBN 3-8296-0117-4

Eine Schirmer/Mosel Produktion
www.schirmer-mosel.com

Dieses Buch erscheint anläßlich der Ausstellung
AXEL HÜTTE – TERRA INCOGNITA

Museo Nacional Centro de Arte Reina Sofia, Palacio de Velázquez
5. Februar – 10. Mai 2004

Fundación César Manrique, Lanzarote
10. Juni – 10. September 2004

Inhalt

Contents

Axel Hütte, der reisende Deutsche, gehört zweifellos zu den ganz Großen der gegenwärtigen internationalen Photoszene. Und mit »Terra Incognita« hat die Kuratorin Rosa Olivares, die sich in Spanien sehr um die zeitgenössische Photographie verdient gemacht hat, einen ausgesprochen treffenden Titel für die von ihr zusammengestellte großartige Retrospektive gewählt, die zur Zeit im Palacio de Velázquez zu sehen ist. Hier wurden auch schon Werkschauen zweier Weggefährten und Kollegen seiner Generation, Günther Förg und Andreas Gursky, gezeigt.

Im Museo Nacional Centro de Arte Reina Sofia hat man diese neue deutsche Photographengeneration, deren Werk einen Wendepunkt in der Geschichte ihres Fachs markiert, eine Zeitlang vernachlässigt. Heute jedoch sind wir, nach Einzelausstellungen zu drei ihrer bedeutendsten Repräsentanten, stolz, sagen zu können, daß zu unserer Sammlung neben Werken eben dieser drei Photographen auch Arbeiten von Candida Höfer, Thomas Ruff, Thomas Struth und Frank Thiel gehören. Alle diese Namen sind inzwischen regelmäßig in spanischen Ausstellungskalendern zu finden, im Fall von Axel Hütte dank der Bemühungen von Helga de Alvear.

Axel Hütte ist ein Photograph, der die Tradition der Moderne genau kennt und sich ihr verpflichtet fühlt, vor allem der Generation der Neuen Sachlichkeit in Deutschland, deren Einfluß wir in seiner Metallbrücken-Serie spüren. Der Schwerpunkt seiner Arbeit lag zwar stets auf Landschafts- und Naturaufnahmen, doch auch seine nächtlichen Städtebilder sind in jeder Hinsicht außergewöhnlich. Er hat überall auf diesem Planeten und auf allen Kontinenten photographiert, wobei ein gewisser Hang zu buchstäblich »extremen« Orten nicht zu übersehen ist: Zwei unvergeßliche Beispiele dafür sind seine Alaska-Serie und seine Aufnahme der venezianischen Punta della Dogana (die erste, die von ihm in Spanien zu sehen war, auf der ARCO, eine schon ferne Erinnerung). Daß Hütte sich auch bei seinen Buchveröffentlichungen sorgfältig um jedes Detail kümmert – der vorliegende Band ist da keine Ausnahme –, zeigt, wie sehr er Bildbände als Ergänzung seiner künstlerischen Bemühungen schätzt. Außerdem legt er Wert darauf, daß nicht nur Experten der Photokunst, sondern auch Schrifsteller

Axel Hütte, the itinerant German, is indisputably one of the great names in contemporary photography. And Terra Incognita is the very revealing title of the stunning retrospective curated by Rosa Olivares, who has been a key figure in the dissemination of new photography in Spain. The exhibition is on display at the Palacio de Velázquez, which has previously housed exhibitions of Günther Förg and Andreas Gursky, two of Hütte's generational and creative peers.

For some time, the Museo Nacional Centro de Arte Reina Sofía has felt a debt to this new generation of German photography, whose work effectively defines a ›before‹ and an ›after‹ in the history of the discipline. Today, in addition to having held individual exhibitions of three of this generation's most emblematic figures, we are proud to say that the museum's collection includes works by all three artists, as well as works by Candida Höfer, Thomas Ruff, Thomas Struth and Frank Thiel. All of these names have become a recognisable sight on exhibition calendars in Spain, and in the case of Hütte, due to the efforts of Helga de Alvear.

Axel Hütte possesses an intimate understanding of the modern tradition to which he belongs, most especially that of the German generation of new objectivity, to which we find allusions in his series based on metal bridges. And while he has always placed an emphasis on landscape and nature, his images of the urban night are every bit as extraordinary. He has taken photographs all across the globe and on every continent, with a special penchant for ›final‹ places; two unforgettable examples of this are his Alaska series and his vision of the Venetian-Poundian Punta della Dogana, the latter of which was Hütte's first work ever to be exhibited in Spain, at an ARCO that seems a distant memory. Hütte also pays particularly close attention to his publications – the present volume is no exception – and his meticulous eye for detail demonstrates how much he values the photography book as a complement to the artistic effort. In his publications Hütte likes to include works by literary writers as well as specialists in photography; to this end, the travel writer Julio Llamazares is among the contributors to this volume.

zu Wort kommen. So erklärt sich der Beitrag des Reiseautors Julio Llamazares im vorliegenden Band.

Als kühler Romantiker des Nordens ist Axel Hütte ein Künstler des Erhabenen, ein Künstler, der uns unvermittelt mit einem Fluß in Australien oder einem vereisten Berggipfel in Norwegen konfrontiert – ich beziehe mich hier auf zwei seiner Photographien, die wir erst kürzlich für unsere Sammlung erwerben konnten, wobei letztere Bestandteil unserer ständigen Ausstellung ist. Beide Aufnahmen lösen Gefühle in uns aus, die denen, die wir auch beim Betrachten bestimmter Gemälde verspüren, erstaunlich nahe kommen, seien es Werke alter Meister oder die kargen Abstraktionen eines Künstlers des 20. Jahrhunderts. Mit diesem Gedanken will ich keinesfalls den Eindruck erwecken, ich sei ein beharrlicher Verfechter der Malerei; ich möchte einfach nur feststellen, daß unterschiedliche Kunstformen oft ähnliche Empfindungen hervorrufen.

Juan Manuel Bonet
Direktor des Museo Nacional
Centro de Arte Reina Sofia

Cold romantic of the north, Axel Hütte is an artist of the sublime, an artist who places us directly in front of an Australian river or an icy Norwegian mountaintop – in these two cases I am referring to the two Axel Hütte photographs we have recently added to the museum's collection, the second of which now hangs in one of the rooms of our permanent collection. They give us reason to believe that in some way, all of this must have something to do with those feelings we experience when we gaze at certain paintings, whether by one of the great masters of old or the starkest, most abstract 20th century artist. And by no means does this reflection suggest a ‹pictorialist› effort on my part; it is simply an observation that different art forms can often transmit startlingly similar sensations.

Juan Manuel Bonet
Director, Museo Nacional
Centro de Arte Reina Sofía

PORTRAIT III 2001–2003

Portrait 1

Portrait 3

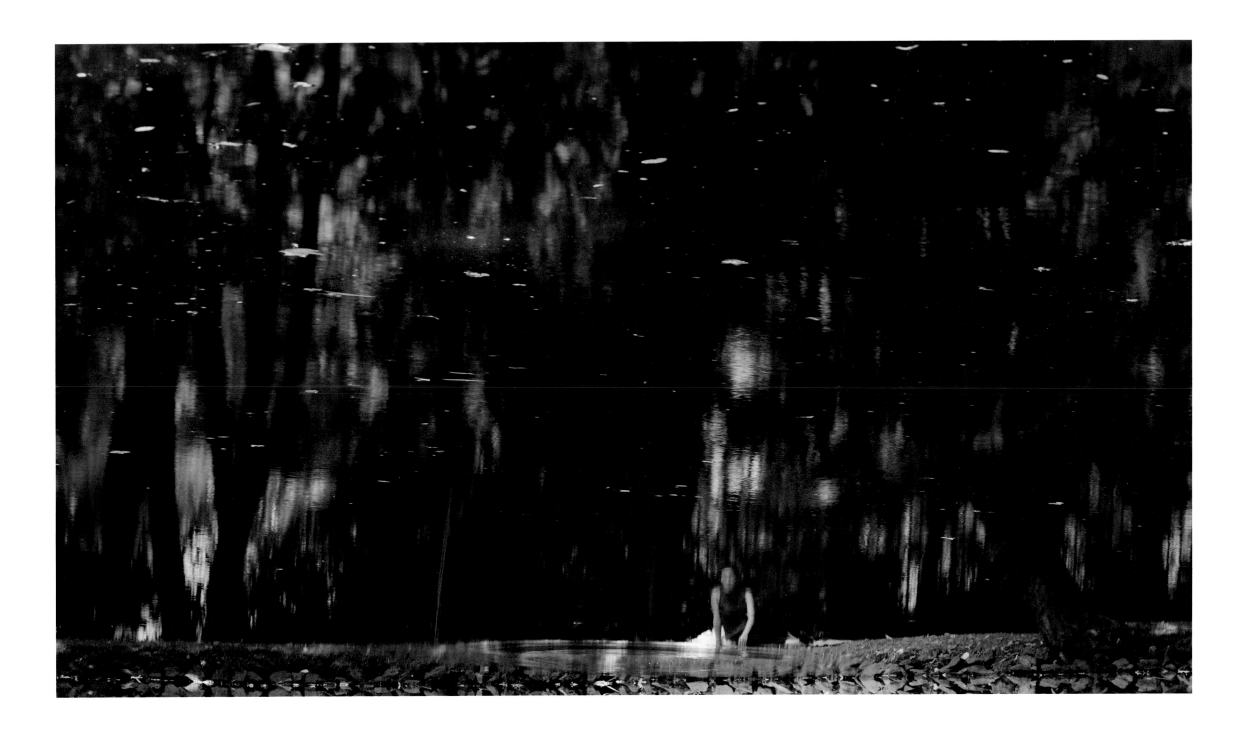

Portrait 4

Portrait 5

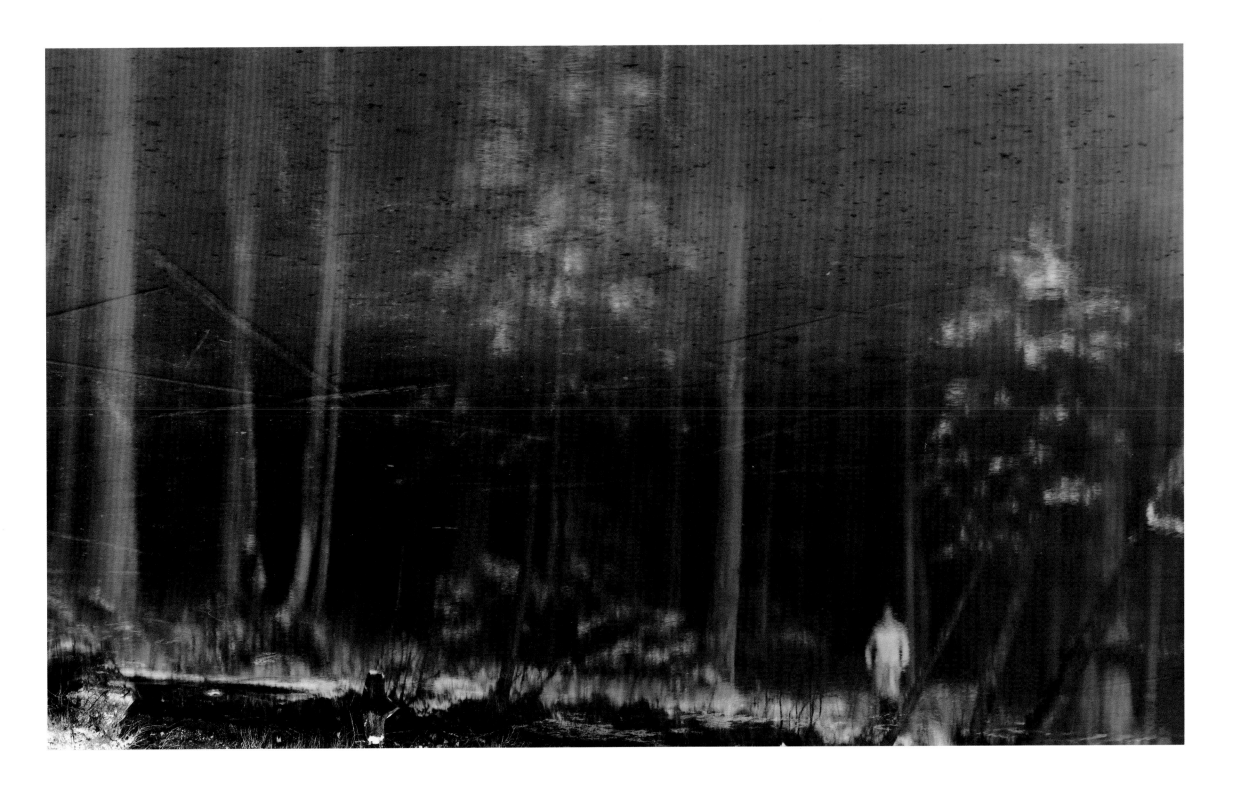

Portrait 7

Portrait 8

Portrait 9

Portrait 10

Portrait 12

Portrait 13

LONDON 1982–2003

Crucifix Lane I

Crucifix Lane II

Balford Tower

Trellic Tower

Centre Point

Waterloo Bridge

James Hammett House

Peabody Estate

Great Suffolk Road

Nobel Court

Prescott House

Cruden House

Mödling House

Canterbury House

Bankside Powerstation

Paris, Bibliothèque Nationale I

NACHT NIGHT 1998–2003

Paris, Bibliothèque Nationale II

Paris, Banlieue

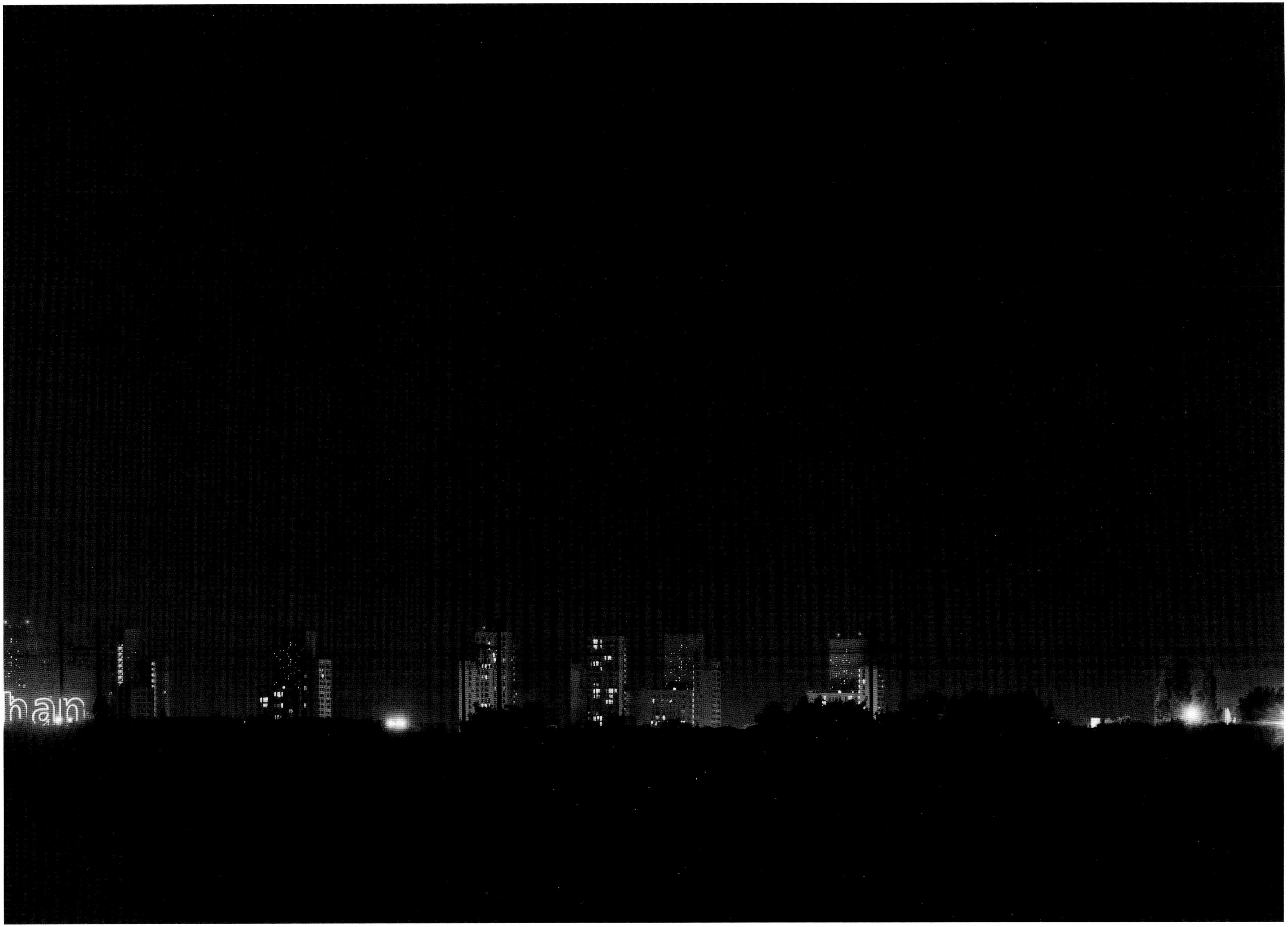
han

London, Mudchute

Berlin, Nationalgalerie

Beijing

Düsseldorf, Monkey's Island

New York, Pan Am / Bryant Park

PORTRAIT II 1985–1995

Luise

Simone

Brigitta

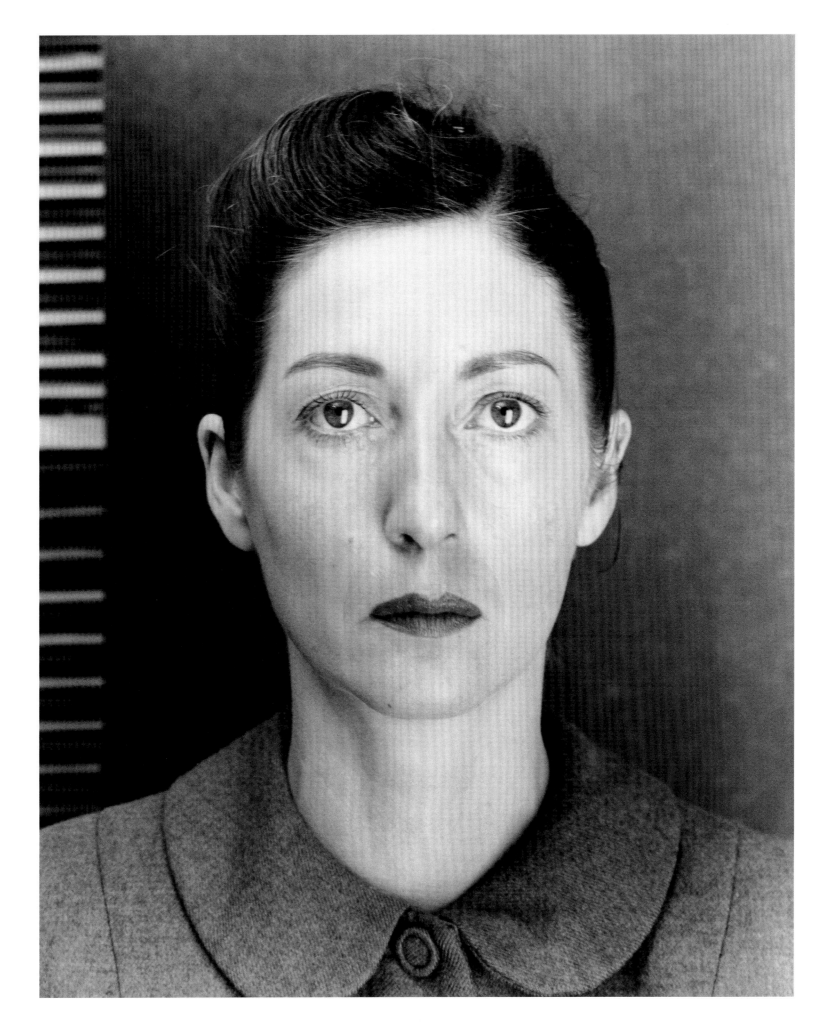

Gabi

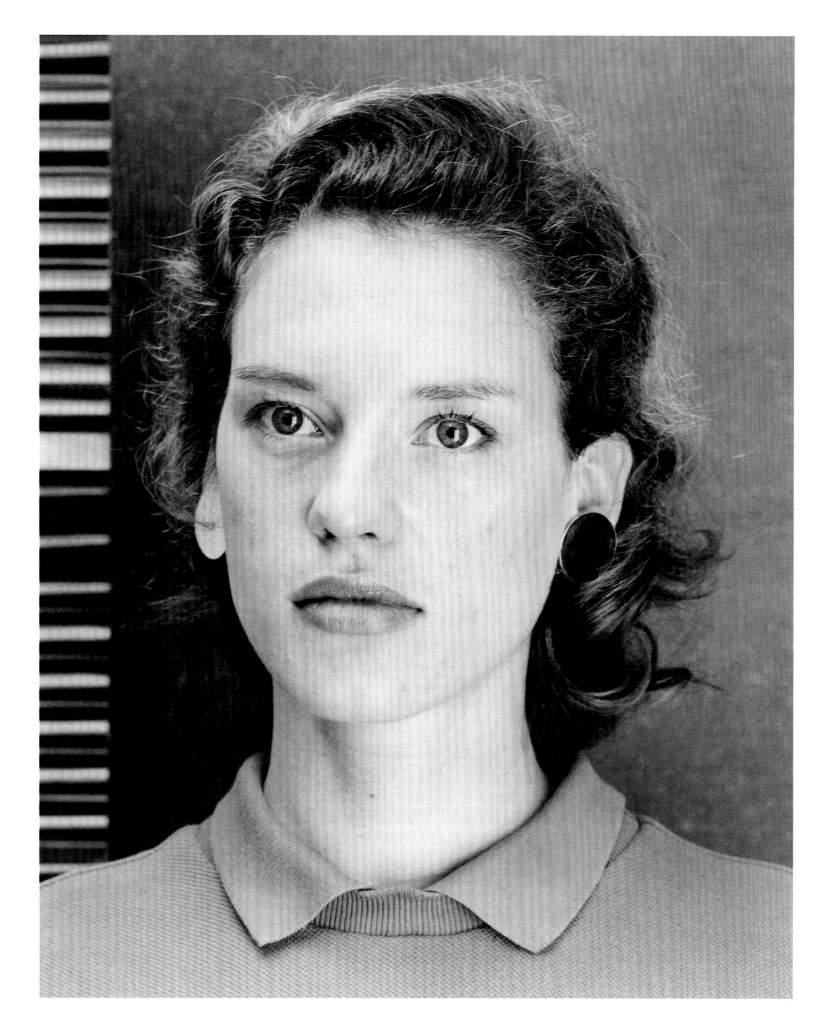

Sabine

Melanie

Melanie	Simone	Vero	Petra	Ilona
Friederike	Brigitta	Katja	Petra	Gabi
Natascha	Luise	Claudia	Sabine	Claudia

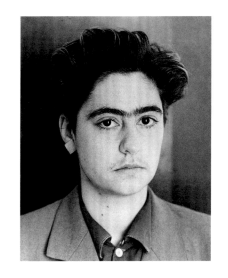
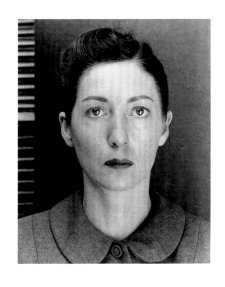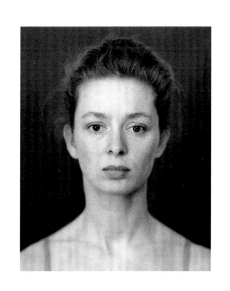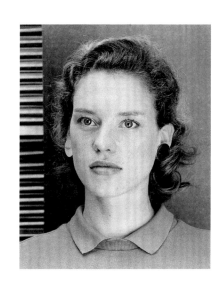
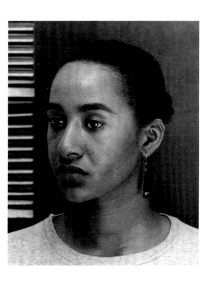

JULIO LLAMAZARES

Tote Landschaften,

lebendige Gefühle

JULIO LLAMAZARES

Still lifes,

live feelings

Was Alter und Ästhetik betrifft, fühle ich mich diesem Photographen sehr verbunden, dessen Bilder mit all der kühlen Zurückhaltung gemacht zu sein scheinen, die die Technik erfordert, in denen sich aber trotzdem ein lebendig schlagendes Herz verbirgt.

Ich fühle mich ihm aus verschiedenen Gründen nahe. Erstens wegen seiner Themenwahl. Zweitens wegen seiner Vorliebe für unbewohnte Landschaften, Landschaften ohne menschliches Antlitz. Drittens wegen der Art, seine Ausschnitte zu wählen, und damit auch wegen seiner Sicht der Dinge. Viertens wegen seiner ungewöhnlichen Sensibilität im Umgang mit Licht. Die Liste ließe sich endlos fortführen.

Axel Hütte, von dem ich lediglich die in verschiedenen Büchern oder Katalogen (anläßlich seiner zahlreichen Ausstellungen) veröffentlichten Potographien kenne, wurde in den fünfziger Jahren in Deutschland geboren, und obwohl er die ganze Welt bereist hat, trägt er das Gewicht des kulturellen Erbes seines Landes auf seinen Schultern. Europa, Asien, Afrika, Amerika und Australien, die fünf Kontinente unseres Planeten, haben ihn auf ihrem Boden wandeln sehen wie zuvor andere seiner Landsleute – Archäologen, Künstler, Händler oder einfach Forscher und Abenteurer –, wissend, es mit einer Person zu tun zu haben, die mehr als alle anderen auf der Suche nach sich selbst ist. Seine Bilder machen das deutlich, aber auch die Art, wie er sie realisiert. Wie seine Vorgänger, jene romantischen Reisenden, die die Welt auf der Flucht vor ihrem Heimatland und auf der Suche nach sich selbst durchstreiften, verweilt Hütte nicht vor dem, was er sieht, er betrachtet es nur, bestimmt den Ausschnitt in seinem Objektiv, fixiert ihn ohne mit der Wimper zu zucken und zieht weiter. Das ist das Schicksal des Reisenden, der weiß, daß er, so sehr er auch sucht, stets an seinen Ausgangspunkt zurückkehrt, ohne sich selbst gefunden zu haben, was doch sein fester Vorsatz war – es sei denn, diese »conditio« ist einmal mehr Teil der Tragödie der Menschheit. Um es mit einem Zitat aus meinem ersten Reisebuch zu sagen: »Der Reisende ist jemand, der sich ständig fortbewegt, ohne jemals irgendwo anzukommen.«

Seit ihren Anfängen versucht die Photographie, die Realität abzubilden und sie doch im selben Augenblick zu transformieren. Der

In terms of aesthetics and age, I feel very close to this photographer, whose photographs seem to be crafted with all the aloofness afforded by the technique, but which nevertheless hide a pounding heart.

I feel close to him for several reasons. First, for his choice of topics. Second, for his passion for uninhabited landscapes, devoid of human figures. Third, for the way in which he frames these landscapes, and therefore his vision of them. And fourth, for his unusual sense of light. And so on and so forth.

Axel Hütte, of whom I know no more than his photographs reproduced in different books and catalogues – associated with some of the numerous exhibitions of his work –, is a German photographer. He was born in the 1950s and, despite having travelled the world over, carries the weight of the German cultural tradition on his shoulders. Europe, Asia, Africa, America and Australia, the five official continents of the planet, have all witnessed his journey through their lands, as previously they witnessed the journeys made by his compatriots, archaeologists, artists, traders or simple explorers and adventurers, aware that here was a person who had come in search of himself – as his photographs clearly show – rather than in search of them. This is apparent in his photographs, but also in the way in which he creates them. Like his predecessors, the romantic travellers who roamed the world to escape from their own countries, but also in search of themselves, Hütte does not come to a halt before his subject matter. He simply looks at it, frames it with his lens, freezes it with his unblinking eye, and moves on. It is the fate of travellers who know that, however thorough the search, they will return to the journey's starting point without ever having found themselves, as indeed they wished, given that this condition is the story of the tragedy of humanity. To quote myself, in my first travel book: «The traveller is a person who never stops walking and never gets anywhere».

Since its inception, photography has attempted to pin down reality and, simultaneously, to transform it. The traveller and the photographer have more in common than most people in that both know that they are doomed to go on repeating their attempt ad infinitum, since neither photography nor travel ever achieves its ultimate aim.

Reisende und der Photograph gleichen sich insofern mehr als andere, als beide wissen, daß sie dazu verdammt sind, ihr Vorhaben endlos zu wiederholen: Weder der Photograph noch der Reisende werden mit ihrem Tun je das gesteckte Ziel erreichen. Oder zumindest nicht vollständig. Sowohl das Reisen wie das Photographieren halten die Illusion aufrecht, und so glaubt man weiterhin an seine Berufung, egal wie oft man in dieselbe Falle tappt: die der unveränderlichen Realität.

Axel Hütte weiß das, und deshalb wählt er die natürlichsten Landschaften für seine Bilder; so natürlich, daß sie manchmal tot zu sein scheinen. Wie es die Kuratorin dieser Ausstellung formulierte: »Heutzutage, wo an der Natur in einem Maße Raubbau getrieben wird, daß selbst das Wort ›natürlich‹ bereits einen Teil seiner Bedeutung verloren hat, ist die Landschaft im wesentlichen nicht mehr ländlich, wild oder paradiesisch (...) Die Natur des 21. Jahrhunderts ist fast immer eine ›nature morte‹, tote Natur.« Ihrer folgenden Aussage kann ich allerdings nicht uneingeschränkt zustimmen: »Die Romantiker wie alle anderen Dichter und Denker, die ihren Blick und ihr Herz der Natur zuwandten und in der Landschaft lebten, sind heute nicht mehr aktuell und in Vergessenheit geraten.« Vor allem, da sich unter anderem Axel Hütte heftig darum bemüht, dies zu widerlegen. Was sonst sind seine Photographien, wenn nicht Betrachtungen jener Natur, die, obwohl sie tot ist oder zu sein scheint, dennoch lebendige Gefühle in ihm auslöst?

Was sich gewandelt hat, ist die Vorstellung von Romantik. Ganz offensichtlich geht es nicht mehr um die Romantik in ihren Anfängen, jener Bewegung, die in Europa als Reaktion auf die Ängste entstand, die die zwischen Mensch und Natur sich auftuende Kluft bei Künstlern und Schriftstellern ausgelöst hatte. Die zeitgenössische Romantik ist, obwohl sie auf deren Ursprüngen basiert, weitaus verzweifelter. In ihrem Bedürfnis nach Trost angesichts des großen Verlusts evozierte die frühe Romantik ein nie dagewesenes Goldenes Zeitalter. Die moderne Form der Romantik dagegen gibt sich nicht der Resignation in Melancholie hin, sondern sucht, jenseits von ihr, einen Spiegel ihrer eigenen Gefühle. So wird die Landschaft – unbewohnt, verlassen oder tatsächlich »tot« – zur doppeldeutigen Vision: unsere Projektionen auf sie und die Projektionen der Landschaft auf uns.

Or at least not completely. This is because both travel and photography, in the process of being undertaken, perpetuate hope in whoever is performing the action. As a result, that person is able to continue believing in his or her vocation, no matter how often he or she stumbles over the same stone of unchanging reality.

Axel Hütte knows this and therefore chooses the most natural landscapes for his photographs; so natural in fact that sometimes they appear to be ‹dead›, still lifes. As the curator of this exhibition has pointed out, «today, with nature degraded to such an extent that even the word ‹natural› has lost part of its meaning, the landscape is no longer fundamentally rustic, wild or paradisiacal (...) In the 21st century, nature is almost always a still life». I do not however entirely share her opinion that «both romanticism and the poets and thinkers who lived with their eyes and their heart focused on nature, living in the landscape, are far away and forgotten», particularly since Hütte himself and others do their utmost to deny this. And what are many of his photographs if not personal visions of that nature which, despite being, or seeming to be, ›dead‹, a still life, continues to arouse in him live feelings?

What has changed is the idea of romanticism. Naturally, this is no longer the romanticism of the early days, the romanticism that emerged in Europe in response to the anxiety that the split between humanity and nature prompted in artists and writers. Today's romanticism, although born of the early variety, is much more despairing. Early romanticism evoked a golden age that had never existed in an attempt to find therein some form of consolation for so much dispossession; by contrast, modern romanticism is not resigned to melancholy, but seeks beyond this a mirror for its own feelings. Hence, the landscape, uninhabited and abandoned, or actually ‹dead›, a still life, becomes a double vision: what we ourselves project onto it and what it projects onto us.

When Hütte photographs water, a mountain, or a fog bank, what he is actually photographing is his own soul, which is reflected in his subject matter in the same way that the face of a person can be seen reflected in the mirror into which he or she looks. The same thing occurs when he frames a building, which he nearly always positions

Wenn Hütte einen Wasserfleck, einen Berg oder eine Nebelbank photographiert, photographiert er seine eigene Seele, die in diesen Dingen reflektiert wird wie das Gesicht des Menschen, wenn er sich im Spiegel betrachtet. Das gleiche geschieht, wenn er Gebäude ins Visier nimmt, die er fast immer an den Rand des Bildes stellt, so daß sie noch desolater erscheinen, als sie es ohnehin schon sind (Hütte wählt für gewöhnlich verlassene Fabrikgebäude, halb verfallene Ruinen, Häuser ohne jede Spur menschlicher Präsenz). Und wenn er die pure Angst photographieren will, tut er dies entweder in Form einer Landschaft oder ihrer Spiegelung in einem anderen Element. Wasser, das Fenster eines fahrenden oder mitten in der Landschaft abgestellten Autos, die Lichter der Großstadt oder das Licht, das durch ein offenes Fenster fällt, all diese Dinge werden zu Spiegeln, die den ersten und wichtigsten Spiegel ergänzen: die Kamera. All dies läuft letztlich auf eine geschärftere Wahrnehmung der Gefühle und ihre endgültige Fixierung durch die Photographie hinaus.

Wenn jedes Photo ein Röntgenbild der Seele des Photographen ist, wie es jemand einmal treffend formulierte, dann gilt dies für Axel Hütte ganz besonders. Auch wenn seine Bilder auf den ersten Blick auf eine fremde Welt verweisen – feindselige Städte oder tote Natur –, so sind sie doch lediglich Spiegelbilder jenes Menschen, der sie – entweder im Vorübergehen oder nach stunden- oder tagelangem Warten auf den richtigen Augenblick – photographiert hat. Die Tatsache, daß auf diesen Bildern niemals ein Mensch zu sehen ist, seine Präsenz lediglich erahnt werden kann – und in manchen Fällen nicht einmal das –, macht deutlich, in welchem Maß Hütte sich nur für sich selbst interessiert. Nicht als allsehendes Auge oder in hypothetischer Ichbezogenheit, sondern als Abbild der Einsamkeit des Menschen.

Als die frühe Romantik die Erkenntnis ihres Verlusts in Malerei und Literatur thematisierte, tat sie dies, indem sie den Menschen seiner Rolle als Protagonist beraubte. Anders als die Künstler des Klassizismus oder der Renaissance, die den Menschen in den Mittelpunkt ihres Schaffens und damit auch in den Mittelpunkt des Universums stellten, sprachen die Maler der Romantik dem Menschen seine überragende Bedeutung weitgehend ab und machten die Landschaft zum Protagonisten ihrer Gemälde, so daß dieses Sujet, sowohl bildnerisch

on one side of the photograph, thereby intensifying the degree of neglect that it invariably already exudes (Hütte's buildings are usually abandoned factories, crumbling structures, houses without a trace of human presence). It is also true when he photographs anxiety in its purest state, either in the form of a landscape or its reflection in another element. As a result, water, the window of a car in motion or abandoned in the middle of the landscape, the lights of a city or of an open window, all become mirrors to complement the main, most important mirror of them all: his camera. All of this ultimately seeks a greater perception of feelings and their final representation in the photograph.

If, as someone once said, each photograph is an X-ray of the photographer's soul, this is patently the case with Hütte. For even whilst his photographs may appear to allude to an alien world, that of the hostile city or the ›dead landscapes‹, the still lifes, these are in fact nothing more than mirrors reflecting the man taking their photograph, captured either as he passes through or after several hours or days of waiting for the right moment to press the button on his camera. The fact that there are never any figures in his photography, that human presence is only intuited – and sometimes not even that – reveals the extent to which Hütte is interested only in himself, not as the all-seeing eye or as the manifestation of a hypothetical egomania, but as the reflection of the loneliness of humanity.

When early romanticism transferred to painting and literature its consciousness of dispossession, it did so by removing people from the limelight. Unlike the classicists and the artists of the Renaissance, who placed people at the centre of their works and, therefore, of the universe, the romantic painters reduced the importance of man, transferring the focus of the painting to the landscape, so that this gained relevance both pictorially and as the central theme. In the same way, romantic writers turned their attention to nature, stripping mankind of its semi-divine aura and reducing its role to that of a secondary element, as secondary at least as the other elements. It was no longer a question of thinking about the role of mankind in the world, until then considered to be the raison d'être of art and philosophy. Romanticism situated humanity in an increasingly vast

als auch inhaltlich, zum zentralen Thema wurde. Auch die Schriftsteller jener Zeit lenkten ihr Augenmerk auf die Natur, beraubten den Menschen seiner halbgöttlichen Aura und wiesen ihm eine untergeordnete Rolle zu, zumindest eine der zweiten Ordnung, in der er nicht wichtiger war als andere Elemente. Nun ging es nicht mehr darum, über die Funktion des Menschen in der Welt nachzudenken, was bis dahin stets als *raison d'être* von Kunst und Philosophie gegolten hatte. Die Romantik stellte ihn in ein zunehmend größer und grauenvoller werdendes Universum – ein Universum, das den Menschen nicht nur kleiner und unbedeutender machte, sondern auch zum Spiegel seiner historischen Bedeutungslosigkeit und stetig wachsenden Vereinsamung wurde.

Anders als viele noch heute meinen, war die frühe Romantik keine gefällige – wenn auch nostalgische – Vision der menschlichen Natur, sondern der bitterste und trostloseste Blick auf die menschliche Existenz, der jemals in der Geschichte der Philosophie formuliert wurde und der im Laufe der Jahrhunderte immer subjektiver und folglich radikaler werdende Postulate nach sich zog. Der Sinn für das Tragische, der Nihilismus, der Existenzialismus im Nachkriegseuropa oder die Entzauberung des ausgehenden 20. Jahrhunderts mit seinen traditionellen Ideologien sind nicht einfach nur späte Manifestationen jener Bewegung; sie bringen, jede für sich, klar definierte Interessen und konkrete historische Gegebenheiten zum Ausdruck. Die heutige Angst der Menschen ist aus all diesen Strömungen erwachsen, und sie alle sind in den Arbeiten zeitgenössischer Künstler und Schriftsteller mehr oder weniger präsent.

Axel Hütte hat nun seine Vorliebe für die Romantik bis zum Äußersten getrieben. Geboren im Nachkriegsdeutschland, zu einer Zeit, die nicht unbedingt die Träume der Generation nährte, die sie großzog, hat Hütte seine Berufung zu einer Lebensweise gemacht, die er in seinen Photographien vermittelt, und mit der er gleichzeitig versucht, sich selbst zu finden. Was er tut und wie er es tut, ist ebenso waghalsig wie mutig: Er verwandelt seine Bilder in echte Spiegel und geht dabei so weit, daß sich in ihnen nicht einmal die Schatten anderer widerspiegeln, sondern nur sein eigener, der stets präsent ist, obwohl er auf keiner der Landschaften leibhaftig zu sehen ist. So könnte der

and devastating universe; a universe which not only reduced and diminished humanity but was transformed into a mirror of its historical insignificance and ever-increasing loneliness.

Contrary to what many people still believe, this early romanticism was not a sympathetic – however nostalgic – vision of the human condition. It was the most bitter and desolate vision of humanity that had ever been formulated in the history of philosophy, and over the centuries it evolved towards a series of increasingly personal, and therefore radical, postulates. The sense of tragedy, nihilism, the existentialism of post-war Europe and the disenchantment of the late 20th century with traditional ideologies, are not simply manifestations of this early romanticism; rather each is articulated according to clearly defined interests or specific historical circumstances. Humanity's current anxiety is born of all of these, and all of these are, to a greater or lesser extent, present in the work of contemporary artists and writers.

Axel Hütte has taken his romanticism to its most radical extremes. As a German born in the post-war period, a time not renowned for the nourishment – spiritual or otherwise – that it provided for the generation to which it gave birth, Hütte has turned his vocation into a way of life which he conveys to others in his photographs and through which he attempts to understand himself. What he does and the way he does it is both daring and courageous: He transforms his photographs into genuine mirrors to the extent that not even the shadows of other people are reflected there, only his own, ever-present shadow, despite the absence of his physical presence in the landscape. To quote a title recently given by a photographer to an exhibition, Axel Hütte might also say, «each time I open a window (take a photograph) I see myself».

In the strange journey proposed by this exhibition, which indeed is no other than the one that Hütte has been making for years, the only props the onlooker will find are the scant elements that the photographer has captured in his negatives. But these elements, these uninhabited, abandoned landscapes, these deserted cities, these ›dead landscapes‹ or still lifes, appear so only at first sight. On closer inspection they reveal the beat of a heart that is very much alive,

Tote Landschaften, lebendige Gefühle

Titel, den ein anderer Photograph einer Ausstellung gab, auch von Axel Hütte stammen: »Jedes Mal, wenn ich ein Fenster öffne (ein Photo mache), sehe ich mich selbst.«

Auf der seltsamen Reise, zu der uns diese Ausstellung einlädt und die im übrigen keine andere ist, als die, auf der sich Hütte schon immer befunden hat, stehen dem Betrachter als einzige Anhaltspunkte jene spärlichen Elemente zur Verfügung, die der Photograph auf seinen Negativen festgehalten hat. Doch diese Elemente, die unbewohnten oder verlassenen Landschaften, die einsamen Großstädte, die tote Natur erscheinen nur auf den ersten Blick so. Bei näherer Betrachtung offenbaren sie einen äußerst lebendigen Herzschlag, der den Betrachter dazu bringt, seine anfänglichen Vorurteile abzulegen und seinen Gefühlen zu erlauben, sich in den von Hütte angebotenen Spiegeln zu reflektieren, die nichts anderes tun als das, was Maler und Schriftsteller seit jeher getan haben: den Blick täuschen, um so das Herz des Betrachters zu stehlen.

Madrid, im September 2003

Still lifes, live feelings

forcing onlookers to rid themselves of all initial prejudices to enable their feelings to be reflected in Hütte's mirrors. They do just what painters and writers throughout history have always done: deceive sight so as to steal the soul.

Madrid, September 2003

ROSA OLIVARES

Terra Incognita

ROSA OLIVARES

Terra Incognita

»Allein, nachdenklich, wie gelähmt vom Krampfe,
Durchmess' ich öde Felder, schleichend träge,
Und wend' umher den Blick, zu fliehn die Stege,
Wo eine Menschenspur den Sand nur stampfe.«

Henry David Thoreau*

«Alone and thoughtful, the most deserted
fields I walk, measuring them out with foot-
steps tardy and slow, with eyes wide open to
avoid finding a human trace upon the road.»

Henry David Thoreau

Die Tatsache, daß alle Bilder, die wir hier sehen, an realen Orten entstanden sind, heißt nicht, daß die Landschaften, die wir sehen, wirklich
existieren. Vielleicht haben sie einmal existiert, doch sie werden niemals mehr dieselben sein. Zweifellos sind diese Photographien der
Beweis dafür, daß sie existierten, aber sie beweisen noch viel mehr, wie
wir im folgenden sehen werden. Sicher ist, daß der Photograph diese
Fragmente gesehen und in magische Bilder der Einsamkeit verwandelt
hat. Stille, dem Leben entrückte Landschaften, unwiederholbare Augen-
blicke, manchmal lange gesucht, manchmal unvermutet vorgefunden,
die nun für immer, auf ein Stück Papier gebannt, in Photographien verwandelt, als das weiterleben werden, was sie seit dem Moment sind, da
der Künstler sie auswählte: die Darstellung einer Idee.

Die erste Frage, die wir uns stellen müssen, betrifft das Verständnis
des Begriffs Realität. Wenn die Photographie, zumindest hypothetisch,
auf einem – inzwischen überholten – Abhängigkeitsverhältnis zur Realität beruht, müssen wir zugeben, daß sogar die sogenannte abstrakte
Photographie etwas wiedergibt, das auf irgendeine Weise irgendwann
existierte. Photographieren kann man nur etwas, das existiert, das
zumindest für einen Augenblick real war oder ist. Doch der Realitätsbe-
griff läßt Abweichungen zu: Falsches, Nachgestelltes, Imitiertes, Provo-
ziertes... Die Komposition der hier gezeigten Bilder von Axel Hütte geht
von der Realität aus, doch isoliert er sie innerhalb ihres Umfelds, folglich ist das, was wir sehen, ein geistiges Konstrukt und damit ebenso-
gut eine Abstrahierung. Schließlich hat jede Abstraktion ihren Ursprung
in der Realität. Aber es gibt noch andere Begriffe, die im Zusammen-
hang mit Hüttes Arbeiten analysiert werden müssen, was zum Beispiel
natürlich und was künstlich ist, was kulturell konstruiert bedeutet und
was uns die Natur im Reinzustand anbietet. Es muß gesagt werden,
daß in keinem der Bilder, die uns der zeitgenössische Künstler vorlegt,

The fact that all the images we see are of real places does not mean
that the landscapes we contemplate actually exist. They may once
have existed, but they have never been the same since. The proof
that they did exist lies undoubtedly in these photographs, which
in fact prove many more things, as we shall gradually see. It is
true; the photographer saw these fragments and turned them into
magic, solitary images. Silent landscapes removed from life, unre-
peatable moments, at times keenly sought, at times unsuspected,
which will now live for ever, captured on paper, turned into photographs, being what they actually became the moment they were
chosen by the artist: the representation of an idea.

The first idea that we must question relates to the concept of
reality. If photography is based at least hypothetically on its depen-
dence upon reality – a notion that has now been discarded – it fol-
lows that we must accept that even so-called abstract photography
reproduces something that once somehow and at some point existed. It is only possible to photograph something that exists, something that is, or was, real, if only for a moment. But the concept of
reality contains many more variations: reality may be false, recre-
ated, imitated, provoked, etc. The construction of these images by
Hütte uses reality as its starting point but isolates it within the en-
vironment, with the result that what we actually see is a mental construction, as is often the case with abstract images. For every
abstract image is derived from reality. There are however many
more concepts that require analysis when examining the work of
Hütte, such as the idea of what is natural and what is artificial, of
what is a cultural construction and what nature offers us in a pure
state. It must be said that nothing now remains of that legendary
offering of nature in any of the images presented by the contempor-

etwas von jenem mythischen Geschenk der Natur erhalten geblieben ist. Alles ist gefiltert durch das feine Sieb der Kultur, durch den verändernden und verzerrenden Blick des Individuums und in vielen Fällen auch durch den Apparat, die Maschine. Dieses Licht, diese Einsamkeit, dieser Blick, alles, was uns beim Betrachten dieser wunderschönen Photographien in Erstaunen versetzt und beeindruckt, sind Dinge, von denen wir glauben, sie auch sehen zu können, wenn wir an genau derselben Stelle stehen würden wie der Künstler. Aber es ist eine Täuschung, eine Idealisierung der Realität und unserer Wahrnehmungsfähigkeit. Wir sind keine Apparate, unsere Augen haben nicht die Präzision einer Schweizer Linse, und natürlich verfügen wir nicht über diese unendliche Geduld des beobachtenden Künstlers, der, manchmal, auf das Unmögliche wartet.

Der größte Teil von Axel Hüttes Arbeiten, sicher jener, für den er am bekanntesten ist und der ihn am eindeutigsten charakterisiert, kreist um die Landschaft. Eine Landschaft, die die Natur rekonstruiert. Doch *Natur* und *Landschaft* sind nicht ein- und dasselbe, auch wenn es sich dabei um Begriffe handelt, die sich überlappen und ineinander übergehen, bis die Grenzen unkenntlich werden. Aber weder die Vorstellungen noch die Begriffe sind austauschbar. Natur besteht aus allem, was lebendig ist, Landschaft ist die kulturelle Rekonstruktion dieser Natur, geformt durch politische, wirtschaftliche, soziale oder ästhische Interessen. Als kultivierte und zivilisierte Menschen nähern wir uns der Natur seit Jahrhunderten durch eine Hintertür der Empfindung an, also indirekt: über Kultur, Literatur und Malerei. Wir betrachten eine Landschaftsdarstellung und glauben, in ihr die einzig mögliche Form von Natur zu erkennen – eine Natur, in der wir lediglich Betrachter sind und daher außerhalb stehen, sie von einem anderen Ort aus betrachten. So ist es auch bei den Bildern von Axel Hütte: Wir betrachten sie von außerhalb, nicht einmal durch ein Fenster, wie es gelegentlich mit Gemälden der Fall ist – denn hier haben wir eine Reproduktion vor uns, den einzig möglichen Weg, Zugang zu diesen Orten, manchmal sogar zu diesen Gefühlen zu erhalten. Wir verstehen die Auffassung, die die Romantiker von Landschaft und Natur hatten, besser, wenn wir uns den Betrachter direkt außerhalb des Bildes denken, weit weg von jenem Ort, an dem der Künstler tatsächlich gewesen ist.

ary artist. Everything is perceived in terms of culture, of the altered and distorting vision of the individual and, in many cases, of the machine. The light, the solitude, the perspective, everything that astounds and impresses us about these beautiful photographs is everything that we believe we would see were we to be on the exact same spot as the artist. This is a deception, an idealisation of reality and of our sensory faculties. We are not machines, our eyes are not equipped with the same precision as a Swiss lens, and we certainly are not possessed with the infinite patience of the observer, of the artist who at times lies in wait for the impossible.

Most of Axel Hütte's images, certainly those for which he is best known and which are his most characteristic, relate to the landscape. Landscape that reconstructs nature. Nature and landscape are not however the same thing, although they are concepts that frequently overlap and blend to the point where their boundaries become blurred. They are not interchangeable concepts or terms. Nature is made up of living things, while the landscape is the cultural reconstruction of nature, shaped by political, economic, social and aesthetic interests. However we educated and civilised people have for centuries approached nature through the back door of sensations, indirectly; through culture, literature, painting. We look at the landscape and believe that we see the only possible manifestation of nature, one in which we are simple spectators and are therefore outside, looking on from another place. As with Hütte's photographs, we look on from the outside, not even through a window, which might be the case with painting; here we look on a reproduction, on the only possible way of gaining entry to those places, perhaps to those feelings. We have a better understanding of the idea that the romantics wove of landscape and nature, placing the spectator firmly outside the painting, far away from the real place witnessed by the artist. Hence, landscape is those pages that accompany English narratives, Italian poems; landscape is the painted background behind the renaissance madonnas, those masses of colour that emerge between the figures in a good painting. Landscape is the still photography of so many films, those fading sunsets, those infinite seas.

Landschaft, das sind dann die Illustrationen, die englische Erzählungen begleiten oder italienische Gedichte; Landschaft ist der gemalte Hintergrund der Renaissance-Madonnen, die geballte Farbe zwischen den Figuren eines guten Gemäldes. Landschaft sind die Stills in so vielen Filmen, all die Bilder von Sonnenuntergängen und unendlich weiten Meeren.

Die Idee der Landschaft ist das Resultat kultureller Akzeptanz. Sie ist eine kulturelle Metapher, die sich, wie der Mensch selbst, im Laufe der Zeit verändert. Aus der jeweils unterschiedlichen Beziehung des Menschen zur Natur entwickelten sich im Laufe der Geschichte und der Zivilisation unterschiedliche Bedeutungen des Begriffs Landschaft. So entspricht die Landschaft, die Hütte zeigt, der distanzierten und bewundernden Haltung, die der Mensch heute der Natur gegenüber einnimmt. Etwas, das nichts mit unserem alltäglichen Leben zu tun hat und vollkommen verschieden ist von dem, was wir gewöhnlich vor Augen haben. Distanz, die Vorstellung von »Exotik« und weiten Reisen, von Abenteuern in Stille und Einsamkeit liegen der Wahrnehmung von Natur zugrunde, die der Stadtmensch von heute hat. Die Erde wiederentdecken, sie zu einer unbekannten Größe erklären, die es in den Griff zu bekommen und zu decodieren gilt, ist vielleicht das letzte Ziel.

Fast zwangsläufig drängt sich der Begriff des »Erhabenen« auf – in der Bedeutung, die Rilke ihm gab –, wenn von den Landschaftsaufnahmen Axel Hüttes die Rede ist. Das gilt sowohl für seine erste Serie italienischer Landschaften wie für die jüngsten nächtlichen Städtebilder. Denn wenn auch die Inszenierung je nach Thema variiert, so besteht doch die Methode immer in derselben spezifischen Formulierung von Schönheit, die uns das Gefühl gibt, das Bild, das wir sehen, sei grenzenlos. Der Künstler pflegt eine sehr eigene Art der Interaktion mit dem Bild – man könnte es auch Methodologie nennen –, die die ästhetischen Qualitäten des Werks bestimmt. Wie ein Landschaftsmaler legt er vor jeder Aufnahme, vor der Komposition des Bildes dessen charakteristische Elemente fest, all jene Aspekte, die zu Stilfaktoren werden, die ästhetischen Determinanten, die das Werk wiedererkennbar und seinen Urheber von anderen unterscheidbar und einzigartig machen. Die Tatsache, daß diese Bilder – ausgenommen natürlich seine in Schwarzweiß gehaltenen Portraits, auf die wir später zu sprechen

The concept of landscape emerged as a result of cultural acceptance. It is a cultural metaphor that changes as time goes by, like humanity itself. The various meanings of the word ‹landscape› have emerged throughout history and civilisation from the various relationships between humanity and landscape. Hence, the landscape presented by Hütte relates to the distant and remote relationship that people today have with nature, as something a long way from our homes and intrinsically different from what we usually see. Distance, the notion of something exotic, of travel, of adventure in silence and in solitude, are at the heart of the perception of nature that city-dwellers now have. Rediscovering the land, turning it into an unknown entity that can be contended with and decoded, might be the ultimate aim.

The ‹sublime›, in the sense that Rilke used the term, crops up as an inevitable concept when discoursing on the landscape images of Axel Hütte. This is true both of his first series of Italian landscapes and of his latest nocturnal city scenes, because although the treatment varies according to the theme at hand, the method remains that special knack of framing beauty, creating the sensation that the image we see knows no bounds. The artist has a certain way, a methodology we might say, of interacting with an image, and it is this that determines the aesthetic qualities of the work. Prior to taking the image and constructing the work, the photographer, just like a landscape painter, determines its characteristic elements, aspects which relate to style factors, the aesthetic traits that enable the onlooker to recognise a work and attribute it to a distinct author. The fact that these images – except, of course, the individual portraits in black and white, which we will look at later – are not constructed around a specific event, that is that they do not have any physical protagonists, indicates a very personal way of perceiving landscape as a set of geometric lines, of axes of constructive tension. Like landscape painters, Hütte, possibly for some time now inevitably so, structures the area represented into smaller areas with varying levels of importance. Be they panoramic views or close-up shots, his photographs can always be formally analysed as clearly structured fields.

kommen – nicht um einen bestimmten Gegenstand, ein bestimmtes Ereignis herum komponiert sind, sprich: keine physischen Protagonisten haben, zeugt von einer sehr persönlichen Art der Landschaftsbetrachtung als einer Einheit aus geometrischen Linien und konstruktiven Spannungsbögen. Wie ein Landschaftsmaler unterteilt Hütte – aus einer inneren Notwendigkeit heraus – den dargestellten Ausschnitt in verschiedene Bedeutungsebenen. Ob es sich um Panorama- oder Nahaufnahmen handelt, immer lassen sich seine Photographien formal als klar strukturierte Felder analysieren.

In der Entwicklungsgeschichte seiner Bilder ist dieses Phänomen klar erkennbar – angefangen bei seinen ersten Stadtlandschaften, in denen eine Brücke kein architektonisches Element ist, das eine Fläche durchquert und zwei Punkte miteinander verbindet, sondern eine Struktur, die sich zu einem nahezu abstrakten Bild fügt, bis hin zu seinen jüngsten Nachtaufnahmen, in denen er, als wäre es eine Hommage an Mondrian, einer vertikalen und einer horizontalen Linie nachgeht, die eine von einem Wolkenkratzer vorgegeben, die andere aus der linearen Landschaft der Großstadtlichter entstehend, um einen idealen Winkel zu bilden, ein magisches Viereck, mit dem Hütte, ganz im Gestus des Malers, alles sagt. Eine kraftvolle Geste und Ausdruck kreativer Energie, die wir so bisher nur aus der Malerei kannten, eine visuelle »Pinselführung«, die nicht nur die Beherrschung der Technik und der Bildsprache belegt, sondern, durch einen winzigen Spalt, auch das verhalten Leidenschaftliche dieser Geste erkennen läßt. Spielt schon die Geometrie als strukturierendes Gerüst der hier gezeigten Photographien eine entscheidende Rolle, so dürfen wir bei seinen bekanntesten und berühmtesten Photographien auch die schon klassische Aufteilung des Bildraums in farbige Felder nicht vergessen, die so typisch ist für die italienische Landschaft. Diese vertrauten Farbfelder, dank der Renaissancemalerei für immer unserer Netzhaut eingebrannt, werden hier vom kühlen nordischen Blick eines Photographen wieder aufgenommen, der sie nun in Fragmente zerlegt und isoliert. Wir begegnen hier Strukturen und Stilelementen, die sich später wiederholen werden: etwa die besondere Art des Bildausschnitts, wenn der seitliche Rand, die Grenze unseres Blickfelds, von einem angeschnittenen Gebäude gebildet wird und der Vordergrund aus einer sehr niedrig verlaufenden horizontalen Linie

This phenomenon is plainly manifested in the evolution of these images. It can be found in his early cityscapes, in which a bridge is not an architectural feature that crosses a surface and unites two points, but rather a structure that creates an almost abstract image. It can also be found in his latest nocturnal scenes in which, as though in tribute to Mondrian, he traces the vertical and horizontal lines formed by a skyscraper and by the linear landscape of the city lights to create a perfect corner, a magic square in which, almost as with the painter's stroke, Hütte embraces everything. This is a gesture of strength and creative energy hitherto found only in painting, a visual stroke that demonstrates not only technical expertise and skill of expression, but a crack through which it is possible to glimpse a passionate, but automatically quelled, gesture. In this notion of geometry as the structural base for these photographs, we must not forget the now classical division of the picture into fields of colour, which is a trait of the Italian landscapes, amongst his best known and most acclaimed work. Those familiar fields, engraved forever on our retina thanks to renaissance paintings, are revisited here by the northern and cool gaze of a photographer, who fragments and isolates them. Here we find structures and styles repeated at a later date. The particular way of framing an image in which the lateral edge, the boundary of our own perception, is formed by the end of a building, and the base of the picture is formed by a very low horizontal line in which the ground, the land, occupies only a few short centimetres of the lower edge of the picture, the remainder being taken up by a vast horizon, dotted at its base by a handful of tree-tops ... is the same construction that reappears in several of the more beautiful nocturnal scenes produced recently.

Hütte's aim is not exactly to visually define a place, usually anonymous and of a more global and generic climate and continent, but to convey an atmosphere. As such the genuine protagonists of these landscapes are the air, the silence, the mist, the intense humidity of the tropics, the icy breath of a frozen desert. His special way of situating the line of the horizon and the fragility of the physical boundaries are other characteristics of his work. These

besteht, in der der Boden, die Erde, nur wenige Zentimeter des unteren Bildteils einnimmt, alles übrige von einem weiten, fernen Horizont hinterfangen wird, an dessen Basis einige Baumkronen auszumachen sind... Es ist die gleiche Komposition, die wir auch auf einigen seiner jüngsten und schönsten Nachtaufnahmen finden.

Hüttes Ziel ist es nicht unbedingt, einen Ort visuell zu definieren – der im übrigen meist anonym bleibt und einer größeren und globaleren Kategorie wie Klima oder Kontinent zugeordnet ist –, sondern einer atmosphärischen Stimmung Gestalt zu verleihen. So kommt es, daß die Luft, die Stille, der Nebel, die hohe Luftfeuchtigkeit der Tropen, der kalte Hauch einer Eiswüste die eigentlichen Protagonisten dieser Landschaften sind. Auch seine besondere Art und Weise, die Linie des Horizonts zu setzen und die Fragilität der physischen Grenzen sind charakteristisch für sein Werk. Es sind kompositionelle Faktoren, die diesen augenscheinlich klassischen und unschuldigen Bildern eine verheerende Modernität verleihen. Weil die Grenzen dieser Bilder hart sind, von einer Härte und Radikalität, die gelegentlich zu der eigentlichen Idee im Widerspruch stehen, vermitteln sie den Eindruck eines radikalen physischen Bruchs zwischen dem, was sich innerhalb des Rahmens und dem, was sich außerhalb befindet. Und mit einem Mal ist es vorbei, und wir werden aus unseren Träumen gerissen.

Was macht nun die Schönheit dieser Bilder aus? Von Wärme kann bei einem derart zurückhaltenden und pragmatischen Blick nicht die Rede sein, der, was er betrachtet, zergliedert und den Teil, niemals das Ganze, auswählt, dem ein Bruchstück genügt, um damit zu arbeiten. Wir haben es hier weder mit pastoralen Gesängen noch elegischen Gemälden zu tun. Und ebensowenig mit einem Sonett von Petrarca. Wie kommen wir nur auf den Gedanken, ein Küstler des 21. Jahrhunderts könnte die Schönheit zum Dreh- und Angelpunkt seiner Arbeit machen? In der heutigen Welt, in der zeitgenössischen Kunst ist Schönheit nur dann gestattet, wenn sie mit der Unausweichlichkeit des Erhabenen daherkommt, wenn sie allen bemühten Konzepten und Ideen zum Trotz etwas Fremdartiges hat, das wir als schön erkennen und bestätigen können. Hütte geht in seinem Werk den umgekehrten Weg: Es ist die Schönheit, die Magie, die unsere Aufmerksamkeit erregt und uns an den Abgrund des Verlangens führt, gefangen im

are constructive aspects that lend a devastating modernity to apparently classical, innocent images. For the boundaries of these images are hard, with a hardness and radicalism that at times contrasts with the idea itself; they convey to us the sensation of a complete physical break between what is within the frame and what is without it. And then it is over and we abandon our fantasy.

Where is the beauty of these images? There is apparently no warmth in a restrained and pragmatic gaze, which dissects what it falls upon and chooses a part, never the whole, a fragment with which to work. These are not pastoral chants or elegiac paintings. Nor are they sonnets by Petrarca. And how are we to grasp the idea that in the 21st century an artist can use beauty as the cornerstone of his work? In the current world, in contemporary art, beauty is only acceptable if it comes with the inevitability of the sublime, if despite all the concepts and ideas it upholds it still contains something rare that we can recognise and certify as beauty. In Hütte's work the reverse is true: it is beauty, magic, that attracts our attention and draws us to the edge of an abyss of desire fixed in the gaze and in an individual memory forged in a collective culture. It is beauty that envelops the real content of each photograph. Once again, perhaps deliberately but without perversity, the artist deceives or confuses us, and we become lost in the force of sensations, eventually arriving at the same place by another path. The reconstruction is only visible afterwards, too late perhaps. Later still, we come to understand the close links between this work and a broader, generic idea of land art, of a broad, contemporary concept of landscape, of the construction of an idea and of a post-reality of nature.

Although nearly all his work is based on nature in its most natural and freest possible state, none of the landscapes that Hütte photographs could be regarded as natural, despite appearing to be so. For these are landscapes shaped out of a cultural process; all of them have been manipulated in accordance with the perception of different perspectives; all of them are unthinkable in other historical moments, both in their real and symbolic aspects. We finally realise therefore that what we see speaks to us of other things, that

Blick und einer individuellen Erinnerung aus dem Schmelztiegel der kollektiven Kultur. Gerade Schönheit kann verhüllen, was sich an Realem in jeder Photographie verbirgt. Einmal mehr, vielleicht vorsätzlich, aber nie wider die Natur, täuscht beziehungsweise verwirrt uns der Künstler, und wir verlieren uns in der Macht der Empfindungen, um mit einer gewissen Verzögerung auf Umwegen an den gleichen Ort zu gelangen. Die Rekonstruktion wird erst später, manchmal zu spät erkennbar. Noch später werden wir die engen Bezüge seines Werks zur *land art* im weitesten und allgemeinen Sinn verstehen, zu einer vielfältigen, zeitgenössischen Form der Landschaftsmalerei, der Konstruktion einer Idee und eines postrealistischen Verständnisses von Natur.

Obwohl fast das gesamte Werk Hüttes auf Natur im natürlichsten und freiestmöglichen Zustand basiert, kann man keine der Landschaften, die er photographiert hat, als natürlich bezeichnen, auch wenn sie uns so erscheinen mögen. Denn es handelt sich um Landschaften, die im Verlauf eines kulturellen Prozesses geformt wurden; alle wurden manipuliert je nach der Wahrnehmung wechselnder Perspektiven, und alle sind unter anderen historischen Koordinaten undenkbar – real wie symbolisch. So wird schließlich klar, daß uns alles, was wir sehen, von anderen Dingen erzählt, daß es weder um die Landschaft an sich noch um die Reiseanekdote oder die Erinnerung des Wanderers geht. Dieses Werk handelt von uns selbst und unserer Fähigkeit zur Wahrnehmung und Aneignung komplizierter und abstrakter kultureller Codes, und es kam in Kenntnis der gesamten Geschichte der künstlerischen Ikonographie zustande. Wir verstehen jetzt, daß das Fehlen des Menschen Absicht ist.

Es stimmt zwar, daß der Mensch in Hüttes Bildern nicht vorkommt, und doch ist dies nur auf den ersten Blick so. Die Präsenz des Menschen ist in den kaum mehr erkennbaren Fußspuren enthalten, die er beim Betreten dieser vom Künstler aufgesuchten Orte hinterlassen hat. Und eben diese kulturelle Spur wird in der Betrachtungsweise Hüttes sichtbar, in der Perspektive, in der Wahl des Gebiets, in dem Stückchen Realität, das jede Photographie exemplifiziert und isoliert – wie eine eigene Welt.

Diese menschliche Präsenz, die anfangs in den Portraits explizit vorhanden war und in seinen Architektur- und Städtebildern nach und

its interest lies neither in landscape itself nor in the travel anecdote, the passerby's memory. That this work is about us and our capacity for perceiving and assimilating highly sophisticated and abstract cultural codes, laboriously constructed through a perfect knowledge of the history of artistic iconography. We realise that the absence of human figures is premeditated.

Because although it is true that human presence is non-existent in these photographs, this is only so at first sight. Human presence is contained within the almost invisible traces left by man in these places visited by the artist. This cultural trace is however especially present in Hütte's gaze, in the perspective, in the choice of area, in the fragment of reality that each photographer exemplifies and isolates, like a parallel world.

This human presence, originally in the portraits but gradually vanishing from the architectures and urban landscapes to the point where it apparently disappears completely from the landscapes, re-emerges in Hütte's latest series of portraits reflected in water, transparencies which unite the landscape and the portrait, nature and the individual. And, finally, urban landscape is revisited through the artist's nocturnal scenes. In this series, commenced during the 1990s and silently supplemented and expanded to reach the current luminosity, the artist constructs works that he presents to us as orchestral exercises of greatly varying intensity, from the interiors of very specific places (exhibition halls, libraries), which have the rhythm of a chamber orchestra, to the grandiose exteriors, which strike musical chords of a very superior, almost epic, format. Reflections of the city lights, of humanity en masse. Large sleeping cities in which the lights of the buildings and streets eternally illuminate human presence. And yet in these urban landscapes it is once again the trace of humanity that is shown, albeit in a much more obvious way, never the real presence.

Here the absence of humanity is tantamount to the artist's supremacy over everything and everybody. Indeed the way in which Hütte approaches his portraits is also highly significant. These are of people to whom either he is very close (artists of the same generation), or to whom he is very remote (street urchins in depressed

nach verblaßte, bis sie in den Landschaften schließlich ganz verschwand, taucht in seinen jüngsten Portraits wieder auf, Spiegelungen im Wasser von einer Transparenz, die Landschaft und Portrait, Natur und Individuum miteinander verbindet. Und schließlich kehrt er mit seinen Nachtaufnahmen wieder zur urbanen Landschaft zurück – eine Serie, mit der er in den Neunzigern begann und an der er kontinuierlich arbeitete und feilte, bis sie die gegenwärtige Leuchtkraft erreichte. Es entstanden Werke, die sich als orchestrale Etüden sehr unterschiedlicher Intensität präsentieren: von Innenaufnahmen konkreter Orte (Ausstellungsräume, Bibliotheken), die im Rhythmus eines Kammerorchesters angelegt sind, bis hin zu den grandiosen Außenansichten, die Musikakkorde viel größeren, fast schon epischen Formats anschlagen. Spiegelungen der Lichter der Stadt, des Menschen in der Masse. Schlafende Großstädte, in denen die Lichter der Gebäude und Straßen die Gegenwart des Menschen auf ewig bezeugen. Doch auch in diesen Stadtlandschaften zeigt uns der Künstler nur die Spuren des Menschen – wenn auch viel deutlicher –, niemals jedoch seine reale Anwesenheit.

Hier entspricht die Abwesenheit des Menschen dem Supremat des Künstlers über alles und jedes. Und in der Tat ist es bezeichnend, wie Hütte seine Portraits konzipiert. Es sind entweder ihm nahestehende Personen, Künstler seiner Generation, oder Menschen, die ihm sehr fern sind, Straßenkinder in armen Ländern, die er alle in Schwarzweiß und in Nahsicht photographiert. Hier ist jeder Anflug von Schönheit, Farbe und Grandiosität verschwunden. Es ist, als stehe diese Portraitserie für sich, ohne Beziehung zu seinem übrigen Werk. Und doch folgen auch sie derselben visuellen Strategie, die nicht in gleicher Weise auf das Individuum wie auf die Natur anwendbar ist. Das Fehlen von Farbe ist ein Abstraktionsmittel und macht die Portraits zu einer Art anonymer Kartei. Alle Anzeichen jener Freiheit, die seine Landschaften geradezu durchflutet, sind hier getilgt.

Bei der Rückbesinnung auf den Menschen in seiner jüngsten Serie, den Wasserspiegelungen, hält sich Hütte erneut an sein ästhetisches Landschaftskonzept: In diesen Bildern existiert das Individuum nicht als solches, ihm wird vielmehr die gleiche Präsenz zugewiesen, die auch ein Baumstamm, ein Strauch, ein Stein haben kann. Die Indivi-

countries, photographed in black and white and in close-up). Here every shred of beauty, colour and grandiosity has disappeared. It is as if they were isolated, totally unconnected works. And yet, they all obey the same visual strategy, which he can never use in exactly the same way for individuals and nature. The absence of colour serves as a tool of abstraction, placing humanity in a category that is almost the notion of an archive, and removing all signs of the freedom which otherwise inundates his landscapes.

When he returns to humanity, as in his recent series of reflections on water, he again uses the aesthetic concept of landscape, since in these images the individual as such does not exist but rather has the same force, the same presence that might be displayed by a tree trunk, a bush, a stone. These individuals, which in reality we are not truly seeing, only their inverted reflections, have no identity or distinctive features. Patently clear in these images is the idea of cultural construction, of the artist as the creator of a nature transformed into landscape, that what we see we would never have been capable of seeing with our own eyes.

Like the true romantic artist, Hütte is the only human presence in the face of nature in all its glory and vast expanse. It is through his gaze that we are able to see nature, through what he has seen and reveals to us in his photographs, so that we may be witnesses both of the magnitude of beauty and the irreversible fact of the presence and power of humanity over nature. The only human presence and the only presence of animate life, for there are never any animals, nor even the trace of their existence. Although Hütte does not resort to dramatic images of nature, his truly impressive œuvre certainly includes radical aspects of landscape: from the dense and humid tropics, the arid and interminable desert, glaciers, and forests from which we are precluded entry due to the mist and thickness of the tree mass, to the recent images of cities at night, presented as great and impressive natural landscapes. This is a very interesting aspect of Hütte's more recent work. The nocturnal photographs produced during the nineties focused on fragments of urban landscape, always empty and with a sole point of light

duen – die wir genau genommen nicht wirklich sehen, nur ihre auf den Kopf gestellte Spiegelung – haben keine Identität, keine unterscheidbaren Merkmale. Hier wird die Idee der kulturellen Konstruktion offensichtlich, die Idee vom Künstler als Schöpfer einer in Landschaft verwandelten Natur, die wir so mit eigenen Augen niemals sehen könnten.

Wie der wahre Künstler der Romantik ist der einzige Vertreter menschlicher Präsenz im Angesicht der Natur mit all ihrer Pracht und räumlichen Weite Hütte selbst: Es ist sein Blick, der uns ermöglicht, die Natur zu betrachten, das zu sehen, was er gesehen hat und was er uns in seinen Photographien offenbart, damit wir Zeugen werden sowohl ihrer großartigen Schönheit als auch der irreversiblen Auswirkungen der Anwesenheit des Menschen und seiner Macht über die Natur. Das ist der einzige Hinweis auf den Menschen und sonstiges Leben, nicht einmal Tiere, auch nicht Spuren ihrer Existenz, kommen in seinen Bildern vor. Obwohl Hütte kein dramatisches Bild der Natur zeichnet, finden sich in seinem beeindruckenden Werk dennoch radikale Positionen: angefangen bei den undurchdringlichen und feuchten Tropen, den trockenen und endlosen Wüsten, den Gletschern oder jenen Wäldern, zu denen uns dichter Nebel und mächtige Baummassen den Zugang verwehren, bis hin zu den jüngsten nächtlichen Stadtaufnahmen, die wie weitläufige und erstaunlich natürliche Landschaften wirken – ein interessanter Aspekt seiner letzten Arbeiten. Bei den Nachtaufnahmen, die in den neunziger Jahren entstanden, konzentrierte er sich noch auf Fragmente der urbanen Landschaft, die immer leer waren und einen einzigen, die Szenerie markierenden Lichtpunkt hatten und keineswegs großartige Bilder sein wollten, sondern Darstellungen des Alltäglichen, Zugänglichen und Anonymen (obwohl Hütte in seinen Titeln stets Ort und Datum nennt). In den jüngeren Photographien hingegen, vor allem bei den Außenansichten, kann sich die Großartigkeit ohne weiteres mit der Pracht der Berge, der Gletscher und italienischen Landschaften, mit der unerwarteten Schönheit von Steinen und Erde messen. Die Großstadt, ihre Lichter, die strengen Formen, die präzisen Winkel ihrer Gebäude erfahren den gleichen Blick, werden mit dem gleichen Messer zerteilt wie die Naturstücke. Alles unterliegt demselben Muster, derselben Strategie, die sich im Laufe der Jahre entwickelt und erweitert hat.

marking the scene, but did not in any way attempt to represent a grandiose image, rather a very ordinary one, accessible and anonymous (although Hütte's titles always indicate the real name of the place and the date). In the more recent photographs however, particularly in the exteriors, the grandiosity of what the artist portrays for us can easily compete with the splendour of the mountains and glaciers, of the Italian countryside, with the unexpected beauty of stones and earth. The city, the lights, the straight forms and the precise angles of the buildings, are all treated with the same gaze, all fragmented with the same knife as the snippets of nature. Everything obeys the same pattern, a single strategy developed and expanded over the years.

Setting out from a romantic stance and an approach fundamentally based on the beauty and tranquillity of the chosen themes, the artist proposes certain conceptual premises that exist alongside both the idea of the tableau and the action of the artist who develops his work through travel. In this way, Hütte's work contains two of the most distinctive characteristics of contemporary photography: the use of the photographic image to reconstruct the painted image, the essential pictorial aspects of Western painting, and, through the artist's attitude, the positioning of the entire work within the parameters of action, as a departure from conceptual, and especially land art. The fact that Hütte travels miles to frame each image, and the changing reality of nature, turn time and atmosphere, as things which elapse and evolve, into essential tools for understanding a body of work in which, behind a formal appearance dominated by beauty, there remains the spirit of the romanticism and conceptual drive of all contemporary art developed around the themes of travel and nature. It is in this respect that the idea of the passage of time and action is captured in his photographs, and in his portraits reflected in water, where the stillness of the water and the figures portrayed contrasts with the obvious action of their presence in that place.

It is hard to accept that these are not just beautiful fragments of nature but also elaborate visual constructions in which the artificial, cultural baggage and methodological transformation are as

Terra Incognita

Ausgehend vom Geist der Romantik und einem Ansatz, dem es in erster Linie um die Schönheit und Stille der gewählten Motive geht, stellt Hütte konzeptuelle Prämissen auf, die sich sowohl an der Idee des *tableau* orientieren wie an der Eigenaktivität des Künstlers, der sein Werk durch das Reisen entfaltet. In dieser Hinsicht enthält Hüttes Œuvre zwei wesentliche Charakteristika der zeitgenössischen Photographie: die Verwendung des photographischen Bildes als Rekonstruktion des gemalten, das heißt aller wichtigen bildnerischen Gestaltungsmomente der westlichen Kunst; und die Einbettung des gesamten Werks in die Parameter der Aktion, wobei sowohl die *concept art*, vor allem aber die *land art* Berührungspunkte bilden. Die Tatsache, daß Hütte meilenweit reist, um für jedes seiner Bilder den entsprechenden Rahmen abzustecken, und die wechselnden Realzustände dieser Landschaften lassen Zeit und atmosphärische Stimmung — beide flüchtig und veränderlich — zu wesentlichen Faktoren für das Verständnis seines Werks werden. Obwohl formal die Schönheit dominiert, bleiben der Geist der Romantik und der konzeptuelle Impuls aller zeitgenössischen Kunst, die sich mit den Themen Reise und Natur auseinandersetzt, erhalten.

Es fällt schwer, zu akzeptieren, daß wir es hier nicht nur mit schönen Landschaftsansichten zu tun haben, sondern mit elaborierten visuellen Konstruktionen, in denen das Künstliche, der kulturelle Hintergrund und die methodologische Transformation den gleichen Stellenwert haben wie das schweigsame Modell — die Erde. Doch letztlich ist es die unendlich langsam verstreichende Zeit, die uns dabei hilft, diese Arbeiten als Kunstwerke zu verstehen, als symbolische Darstellungen der Interpretation von Realität durch den Menschen. Erkennen wir die große Unbekannte als solche an, die die Erde, auf der wir leben, für uns bleiben wird und der wir bei vielen Gelegenheiten weder die nötige Zeit noch Aufmerksamkeit widmen, damit wir endlich anfangen, uns selbst und unsere dekadent gewordene Beziehung zu ihr zu verstehen. Wir werden für immer eine *terra incognita* bewohnen.

* nach einem Sonett von Petrarca, hier in der freien Übertragung von August Wilhelm Schlegel wiedergegeben (A.d.Ü.)

Terra Incognita

important as the silent model represented by the land. Ultimately however, it is the interminably slow passage of time that helps us to understand that these are works of art, symbolic representations of a human interpretation of reality. Let us also recognise the permanent unknown entity that is this land in which we live and to which on many occasions we fail to devote the time and attention necessary to begin to understand both ourselves and our decadent relationship with it. Let us always inhabit an unknown land.

McGough

McDermott

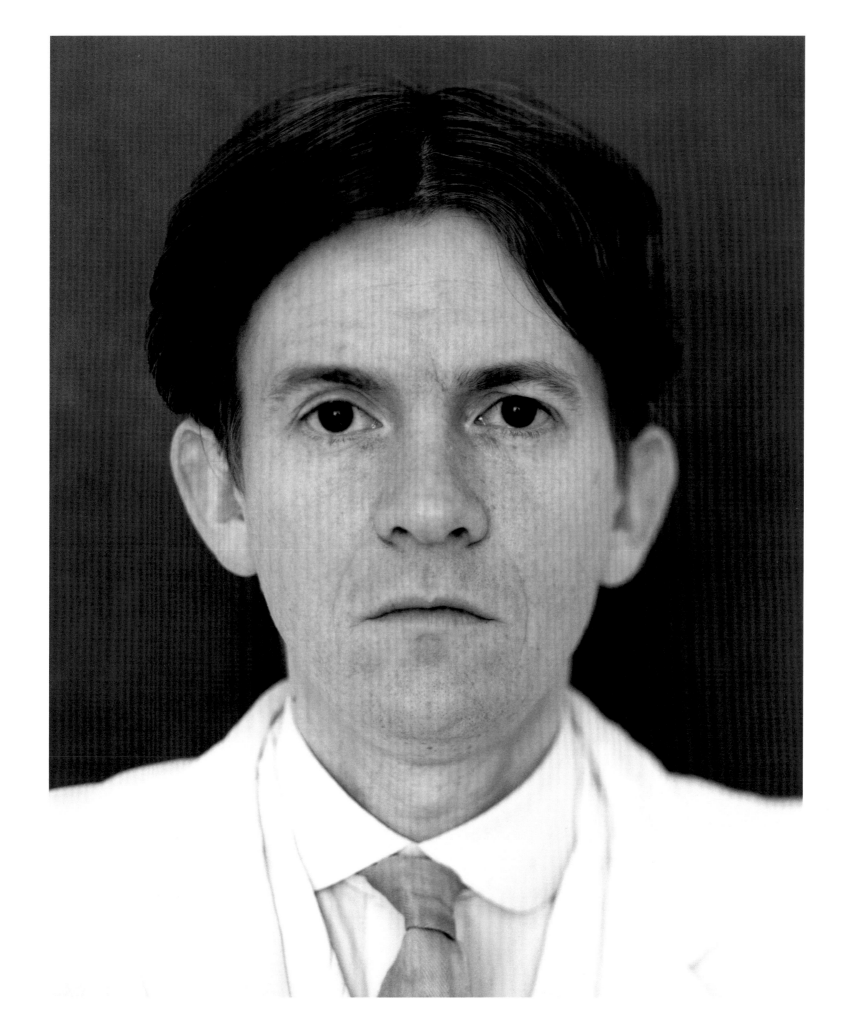

| Tony Oursler | Robert Gober | Stephen Prina | Mike Kelley | McGough |

| McDermott | Doug Starn | Mike Starn | Meyer Vaisman | Philip Taaffe |

| James Welling | Jeff Koons | Haim Steinbach | Ross Bleckner | Christopher Wool |

Howard Britton

Nelson Monks

Richard Cruz

Howard Britton

George Garces

Omar Thomas

Carlos Rivera

Martin Kippenberger

Meuser   **Jürgen Meyer**   **Thomas Ruff**   **Albert Oehlen**   **Martin Kippenberger**

SPANIEN, ITALIEN, PORTUGAL SPAIN, ITALY, PORTUGAL 1989–1996 Tabernas

Borzano

Borzano

Puranello-Mucciatella

Pico Veleta

Alcácer

Vinci

Malmantile

Maschere

Montemor-o-Novo

Ponte Alto

NEBEL FOG 1994–2003   Yuste II

Yuste III

Sächsische Schweiz

Furkablick

Furka II

Furka

Furka

Pico di Aguila

Boppard

Island Fog

Hvasafell

Myvatn

Greina

Alakai Swamp

Pihea

TROPEN TROPICS 1998–2002   Nourlangie Billabong II

Cruise River / Tsi-Tsikamma

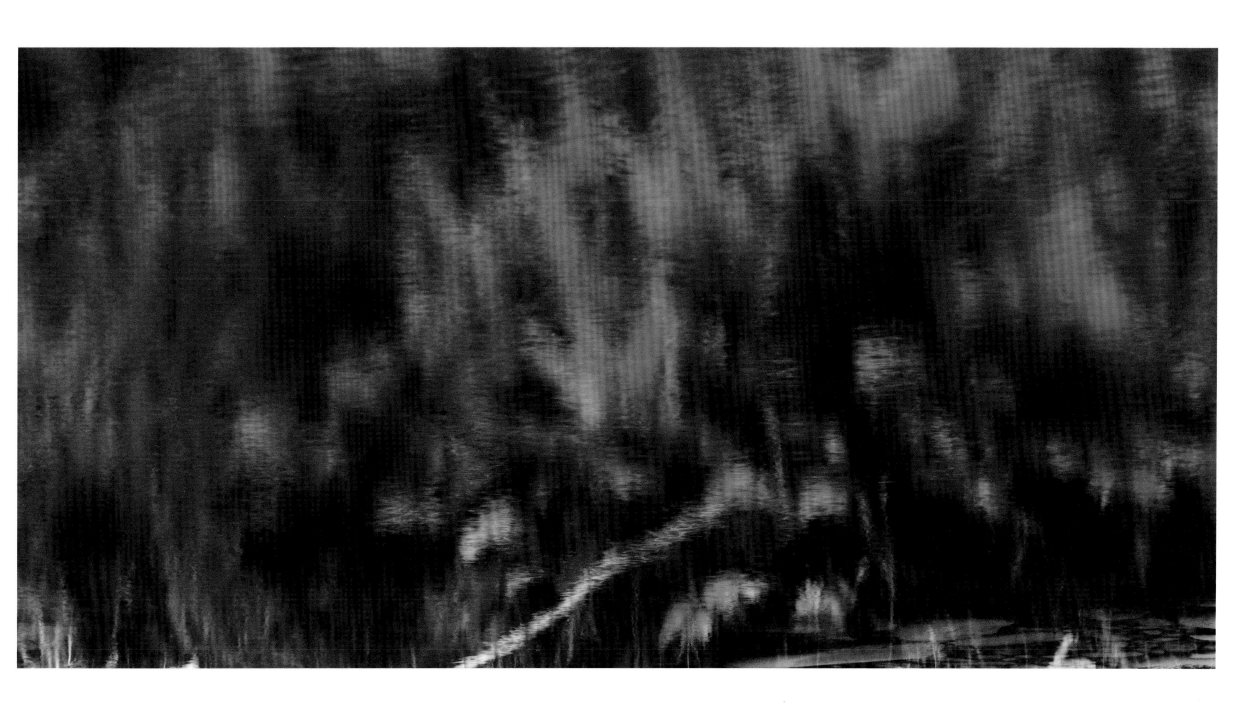

West Alligator River I

Gulch

Rio Muerte II

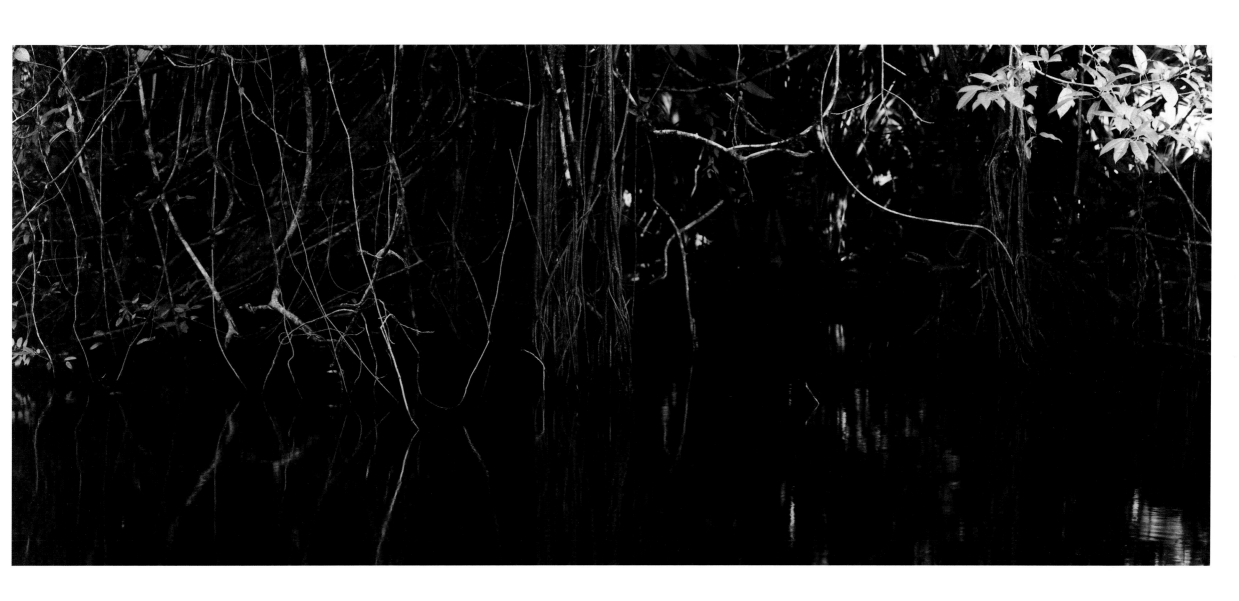

Rio Muerte I

Nourlangie Billabong I

Rio Negro I

Rio Negro II

Coco Palms

AXEL HÜTTE

1951
geboren in Essen
lebt und arbeitet in Düsseldorf
born in Essen
lives and works in Düsseldorf

1973–81
Studium an der Kunstakademie Düsseldorf
Studies at the Academy of Art Düsseldorf

1982
DAAD-Stipendium für London
DAAD scholarship for London

1985
Stipendium des Deutschen Studienzentrum Venedig
Scholarship for the Deutsches Studienzentrum Venedig

1986–88
Karl-Schmidt-Rottluff Stipendium
Karl-Schmidt-Rottluff scholarship

1993
Hermann Claasen Preis
Hermann Claasen Prize

EINZELAUSSTELLUNGEN, Auswahl /
SOLO EXHIBITIONS, selection

2004
Palacio de Velázquez, M.N.C.A.R.S. Madrid, Spain.
2002
Galerie Akinci, Amsterdam, Holland.
Continentes, Sala de Exposiciones del Patio
de Escuelas, Universidad de Salamanca, Spain.
Cohan Leslie and Browne Gallery, New York, USA.
Neue Fotografien, Galerie Max Hetzler, Berlin,
Germany.
As Dark As Light, Galleri K, Oslo, Norway.
2001
As Dark As Light, Huis Marseille Foundation for
Photography, Amsterdam, Holland (cat.).
Galerie Wilma Tolksdorf, Frankfurt, Germany.
Neue Fotografien, Galerie Max Hetzler, Berlin,
Germany.
Galerie Six Friedrich Lisa Ungar, München, Germany.
2000
Galerie Akinci, Amsterdam, Holland.
Fecit, Museum Kurhaus Kleve, Mataré Sammlung,
Kleve, Germany (cat.).
Galería Helga de Alvear, Madrid, Spain.
Eleni Koroneou Gallery, Athens, Greece.
Patrick de Brock Gallery, Knokke, Belgium.
1999
Galerie Wilma Tolksdorf, Frankfurt a. M., Germany.
Galleri K. Oslo, Norway.
Galerie Laage-Salomon, Paris, France.
1998
Musée-Château d'Annecy, Annecy, France
(cat.).
Galerie Akinci, Amsterdam, Holland.
Galerie Max Hetzler, Berlin, Germany.
1997
Patrick de Brock Gallery, Knokke, Belgium.
Hannover, Kunstverein Hannover, Germany.
Fotomuseum Winterthur, Switzerland (cat.).

Oldenburger Kunstverein, Germany.
Musei Civici Rubiera, Reggio Emilia, Italy (cat.).
1996
Burnett Miller Galerie, Los Angeles, USA
Kunstverein Wolfsburg, Germany.
Galerie Laage-Salomon, Paris, France.
Galerie Akinci, Amsterdam, Holland.
1995
Rheinisches Landesmuseum, Bonn, Germany (cat.).
1993
Hamburger Kunsthalle, Germany (cat.).
Kunstraum München, Germany (cat.).
Eleni Koroneu Gallery, Athens, Greece.
Galerie Laage-Salomon, Paris, France.
1992
Museum Künstlerkolonie Darmstadt, Germany (cat.).
Fonds régional d'art contemporain, Marseille,
France (cat.).
1991
Galerie Bruges la Morte, Brügge, Belgium.
1990
Galerie Laage-Salomon, Paris, France.
Glenn & Dash Gallery, Los Angeles, USA
Galerie Módulo, Lisbon, Portugal.
1989
Rotterdamse Kunsstichting, Rotterdam, Holland.
1988
Regionalmuseum, Xanten, Germany (cat.).
1987
Actualites, London, Great Britain.
Galerie Max Hetzler, Köln, Germany.
1984
Galerie Konrad Fischer, Düsseldorf, Germany.

GRUPPENAUSSTELLUNGEN, Auswahl /
GROUP EXHIBITIONS, selection

2003
Realidad y Representación. Coleccionar paisajes hoy,
Fotocolectania, Barcelona, Spain.
Travesía cuatro, Madrid, Spain.
Miradas y conceptos en la colección Helga de Alvear,
Centro Cultural San Jorge, Cáceres, Spain.
2002
Heute bis jetzt, Museum Kunst Palast, Düsseldorf,
Germany (cat.).
Paisajes Contemporáneos. Colección Helga de Alvear,
Fundación Colectania, Barcelona, Spain.
In Szene gesetzt, ZKM, Karlsruhe, Germany.
2000
Ansicht / Aussicht / Einsicht – Architekturphoto-
graphie, Museum Bochum, Germany/Galerie für
Zeitgenössische Kunst, Leipzig, Germany (cat.).
How you look at it – Photographien des 20. Jahrhun-
derts, Sprengel Museum, Hannover, Germany (cat.).
1999
Reconstructing Space: Architecture in Recent German
Photography, Architectural Association, London,
Great Britain.
Von Beuys bis Cindy Sherman – Sammlung Lothar
Schirmer, Kunstverein Bremen / Städtische Galerie im
Lenbachhaus, München, Germany (cat.).

1998
Landschaft – Die Spur des Sublimen, Kunsthalle Kiel,
Germany (cat.).
La Sentiment de la Montagne, Musée de Grenoble,
France.
Museum of Contemporary Art, Tokyo, Japan.
Museum Ludwig, Köln, Germany.
Museum of Contemporary Art, Los Angeles, USA.
At the End of the Century – 100 Years of Architecture,
Solomon R. Guggenheim Museum, New York; USA.
1997
Die Schwerkraft der Berge, Kunsthalle Krems, Austria.
Aargauer Kunsthaus, Aarau, Switzerland.
Alpenblick – Die zeitgenössische Kunst und das
Alpine, Kunsthalle Wien, Austria (cat.).
Landschaften / Landscapes, Kunstverein für die
Rheinlande und Westfalen, Düsseldorf, Germany (cat.).
1994
Deutsche Kunst mit Photographie: Die 90er Jahre,
Rheinisches Landesmuseum, Bonn /Kunstverein
Wolfsburg, Germany.
Junge deutsche Kunst der 90er Jahre aus NRW,
National Museum of Modern Art, Osaka, Japan /
International Art Gallery, Beijing, China /
Taipei Fine Arts Museum, Taiwan /
Sonje Museum of Contemporary Art, Kyonju, Korea/
Pao Galleries Hong Kong Arts Centre, Hong Kong,
China.
La Ville, Centre Georges Pompidou, Paris, France.
Los Géneros de la Pintura, Centro Atlántico de Arte
Moderna, Las Palmas / Museo de Arte Contemporáneo
de Sevilla / Sala del Antiguo Museo Español de Arte
Contemporáneo, Madrid, Spain.
1993
Industriefotografie heute, Sprengel Museum,
Hannover, Germany.
Neue Pinakothek, München, Germany.

1992
Distanz und Nähe Nationalgalerie, Berlin, Germany
(cat.).
1991
Museum of Contemporary Photography, zusammen
mit Thomas Ruff, New York, USA.
Aus der Distanz, Kunstsammlung NRW, Düsseldorf,
Germany (cat.).
Gedachten Gangen, Gedanken Gänge, Museum
Fridericianum, Kassel, Germany (cat.).
1990
Der klare Blick, Kunstverein München, Germany (cat.).
1989
Karl-Schmidt-Rottluff-Stipendium 6, Städtische
Kunsthalle Düsseldorf, Germany (cat.).
1988
Städtische Kunsthalle, Kunstsammlung NRW,
Kunstverein für die Rheinlande und Westfalen,
Düsseldorf, Germany.
Binationale – Deutsche Kunst der späten 80er Jahre/
German Art of the Late 80's, The Institute of
Contemporary Art, Museum of Fine Arts, Boston, USA
(cat.).
Exchange Germany–Ireland, Dublin, Belfast, Ireland.
1985
Forum Stadtpark, Graz, Austria.
1983
Einsichten – Aussichten. 4 Aspekte subjektiver
Dokumentarfotografie. Reinhold Hilgering,
Axel Hütte, Benno Hurt, Martin Manz, Städtische
Galerie Regensburg, Germany.
1982
Lichtbildnisse, Rheinisches Landesmuseum, Bonn,
Germany (cat.).
1979
In Deutschland, Rheinisches Landesmuseum, Bonn,
Germany (cat.).

MONOGRAPHIEN UND KATALOGE /
BOOKS AND EXHIBITION CATALOGUES

Axel Hütte: 1981–1988 – Architektur. Berlin, London,
Paris, Venezia, Xanten. Regionalmuseum Xanten, Text:
Veit Loers, Xanten 1988.
Axel Hütte: London – Photographien 1982–1984.
Museum Künstlerkolonie Darmstadt, Text: Gerda
Breuer, München 1992.
Axel Hütte: Transit Berlin. Fonds régional d'art contem-
porain, Marseille 1992.
Axel Hütte: Italien – Photographien. Hamburger
Kunsthalle, Text: Uwe M. Schneede, München 1993.
Axel Hütte: Landschaft, Rheinisches Landesmuseum
Bonn, Text: Klaus Honnef & Veit Loers, München
1995.
Axel Hütte: Theorea. Fotomuseum Winterthur /
Musée-Château d'Annecy, Text: Urs Stahel & Hans
Irrek, München 1996.
Axel Hütte: Terre dei Canossa. Musei Civici Rubiera,
Text: Hans Irrek, Reggio Emilia 1997.
Axel Hütte: Kontinente, Text: Cees Nooteboom,
Preussag AG, Hannover, München 2000.
Axel Hütte: As Dark as Light. Huis Marseille,
Foundation for Photography, Amsterdam,
Text: Els Barents & Rudolf Schmitz, München 2001.
Axel Hütte: Secret Garden, Misty Mountain. Galerie
Max Hetzler /Holzwarth Publications, Berlin 2002.